LUCY DANIELS

yr Arch Anifeiliaid Bach

Y Gath Fach Fusneslyd

Lluniau gan Andy Ellis

Addasiad Cymraeg: Bethan Mair

RILY

I Sufi a Twtsi
– cathod bach busneslyd eraill!

Gyda diolch arbennig i Narinder Dhami

Y GATH FACH FUSNESLYD
ISBN 978-1-84967-118-7

Rily Publications Ltd
Blwch Post 20
Hengoed
CF82 7YR

Addasiad Cymraeg gan Bethan Mair
Hawlfraint y testun Cymraeg © Rily Publications 2012

Mae *Yr Arch Anifeiliaid Bach* yn perthyn i Working Partners Limited
Hawlfraint y testun Saesneg © 2001 Working Partners Limited
Crëwyd gan Working Partners Limited, Llundain, W6 0QT
Hawlfraint y darluniau clawr © Andy Ellis 2001
Hawlfraint y darluniau © Georgie Ripper 2001
Cyhoeddwyd yn gyntaf 2001 gan Hodder Children's Books
dan y teitl *The Curious Kitten*

Mae Lucy Daniels a Georgie Ripper wedi datgan ei hawl dan
Ddeddf Hawlfraint, Dyluniadau a Phatentau 1988
i gael ei chydnabod fel darlunydd y llyfr hwn.

Dymuna'r cyhoeddwyr gydnabod cymorth
Cyngor Llyfrau Cymru

Cysodwyd gan Wasg Dinefwr, Llandybïe, Sir Gaerfyrddin
Argraffwyd a rhwymwyd yn y Deyrnas Unedig
gan CPI Group (UK) Ltd, Croydon, CR0 4YY

www.rily.co.uk

Pennod Un

"Mam, ble mae teigrod yn byw?" gofynnodd Mali Huws. Roedd hi wrthi'n gludo llun o deigr yn ei llyfr lloffion anifeiliaid.

Diwrnod cyntaf y gwyliau hanner tymor oedd hi, ac roedd hi bron yn amser agor syrjeri'r bore yn Arch Anifeiliaid. Milfeddygon oedd mam a thad Mali. Roedd y syrjeri lle roedden nhw'n gweithio yn sownd wrth gefn eu bwthyn. Roedd Mali wrth ei bodd gyda hynny.

Roedd wastad ddigon o anifeiliaid o gwmpas!

Cododd Elan Huws ei phen o'r pentwr llythyron roedd hi wrthi'n eu hagor. "Wel, mae 'na deigrod yn Rwsia, a rhai yn Tsieina, ond yn India mae'r rhan fwyaf o deigrod," meddai hi. "Maen nhw'n hoffi byw yn y jyngl."

Gludodd Mali y llun yn ofalus ar y dudalen wag nesaf. "Baswn i'n *dwlu* mynd i India a gweld teigr!" meddai hi.

Gwenodd ei mam, "Fe awn ni ryw ddiwrnod," addawodd hi. "Mae dy lyfr lloffion di bron yn llawn. Fe brynwn ni un newydd pan awn ni i siopa."

"Grêt!" meddai Mali'n hapus. Roedd hi wedi casglu *llwythi*

o luniau. Efallai y byddai angen prynu dau lyfr lloffion newydd!

"Mali?"

Trodd Mali ei phen.

Roedd Siân Jones, derbynwraig Arch Anifeiliaid, wedi dod i'r gegin.

7

"Mae 'na rywun yn yr ystafell aros sy'n holi amdanat ti," meddai Siân, a'i llygaid yn pefrio.

"Pwy?" gofynnodd Mali, gan neidio ar ei thraed.

"Gwernan Rowlands, dy ffrind di," meddai Siân.

Brysiodd Mali i ystafell aros Arch Anifeiliaid. Roedd hi'n llawn yno. Roedd hi wastad yn llawn ar fore dydd Llun!

Gwelodd hi Gwernan yn eistedd yn y gornel. Roedd ei ffrind yn eistedd gyda menyw oedd yn dal basged fawr ar gyfer cario cath.

8

"Helô, Mali," meddai Gwernan, gan godi ei llaw, "Dyma Modryb Sioned. Mae hi wedi dod â'i chath at y milfeddyg i gael rhoi sglodyn micro bach ynddi hi!"

"Helô, Mali," meddai modryb Gwernan, gan wenu. "Hyfryd dy gyfarfod di. Dyma Emrallt."

Gwenodd Mali ar y ddwy, ac yna aeth draw i gael golwg yn y fasged. Roedd cath fach frith ynddi.

Roedd ganddi gôt euraid flewog a streipiau duon yn rhedeg drwyddi – yn union fel teigr! Roedd hi'n *rhyfeddol* o bert!

"Helô, Emrallt!" meddai Mali. Yna edrychodd ar Sioned. "Mae hi'n hyfryd! Ond pam wnaethoch chi roi'r enw Emrallt arni?"

"Wel, edrych ar y llygaid del yna!"

Gwthiodd Mali ei bysedd rhwng weiren y fasged. Dechreuodd y gath fach ganu grwndi a rhwbio'i phen yn erbyn llaw Mali. Yna edrychodd arni â'r llygaid gwyrdd mwyaf llachar a welodd Mali erioed! Mor wyrdd â'r emrallt ar fodrwy ei mam.

Gwenodd Mali. "Enw ardderchog!" cytunodd. Chwarddodd wrth i Emrallt wthio pawen fach flewog rhwng y weiren a cheisio tynnu ar lawes ei chrys chwys.

"Ti ddywedodd wrtha i am y sglodion micro, Mali, ti'n cofio?" meddai Gwernan.

Nodiodd Mali. Roedd sglodion yn helpu'r perchnogion i ddod o hyd i'w hanifeiliaid anwes pan fydden nhw ar goll.

"Unwaith y bydd sglodyn Emrallt yn ei le, rydw i am adael iddi grwydro yn yr ardd," meddai Sioned. "Dwi wedi cymryd wythnos o wyliau er mwyn i mi allu cadw llygad arni hi. Efallai y bydd ychydig o ofn arni ar y dechrau."

Yr union eiliad honno, daeth Alun Huws, tad Mali, i mewn i'r ystafell aros, gan wenu. "Rydw i'n barod i weld Emrallt Rowlands nawr," meddai.

12

Gwenodd Mali. Roedd Emrallt
yn ceisio agor clo'r fasged â'i
dannedd. "Rydw i'n meddwl bod
Emrallt yn barod i dy weld *di* hefyd,
Dad!"

Pennod Dau

"Dad, alla i ddod i mewn i wylio, os gweli di'n dda?" gofynnodd Mali, wrth i Sioned gario Emrallt i mewn i'r ystafell driniaethau.

Edrychodd Mr Huws ar Sioned a gwenodd hithau. "Wrth gwrs," meddai hi.

"Mae hi'n un fach fywiog iawn!" Gwenodd Mr Huws wrth i Emrallt geisio agor drws y fasged unwaith eto. "Well i ni ei chael hi allan."

Gwyliodd Mali wrth i'w thad agor y clo. Weithiau fyddai cathod a chathod bach ddim eisiau dod allan ar y bwrdd triniaethau. Ond neidiodd Emrallt allan yn syth, gan edrych o'i chwmpas. Yna sglefriodd at ymyl y bwrdd, yn barod i fusnesu.

"O, na wnei di ddim!" meddai Mr Huws gan gydio'n dynn yn y gath fach.

Mewiodd Emrallt yn ddigalon. Edrychodd ar Mr Huws â'i llygaid mawr gwyrdd, fel pe bai'n dweud, "Rwyt ti'n difetha fy hwyl i!"

Dechreuodd Mali a Gwernan chwerthin.

"Mae ei thrwyn hi ym mhopeth," meddai Sioned. "Mae hi wedi bod i mewn ym mhob cwpwrdd yn fy nhŷ, ac wedi dringo'r llenni i gyd. Ac mae hi mor fusneslyd! Mae hi wastad yn trio tynnu'i choler a'r bathodyn enw sydd arni!"

"Mae'n syniad da iawn rhoi sglodyn ynddi cyn iddi fynd allan, felly," meddai Mr Huws. Gwenodd wrth i Emrallt geisio dringo tu mewn i lawes ei gôt wen. "Rhag ofn iddi anghofio'i ffordd adre!"

"Dad, dwi'n meddwl fod pen Emrallt yn sownd!" meddai Mali wrth ei thad. Roedd Emrallt yn straffaglu i ddod allan o lawes Mr Huws ac yn mewian am help.

Chwarddodd Mr Huws ac achub Emrallt. Rhoddodd y gath fach i Sioned, a chwilota ymysg ei offer. "Byddwn ni'n defnyddio nodwydd i roi'r sglodyn yng ngwddf Emrallt," meddai.

"Ond fydd e ddim yn brifo," ychwanegodd Mali, gan weld bod Sioned a Gwernan yn edrych ychydig yn bryderus. Roedd hi wedi gweld ei thad yn gosod sglodyn pitw bach o dan groen anifail anwes o'r blaen.

Nodiodd ei thad. "Fydd Emrallt ddim callach ein bod ni wedi rhoi'r sglodyn yn ei le." meddai.

"Sut mae'r sglodyn yn ein helpu ni i ddod o hyd i Emrallt os bydd hi ar goll?" gofynnodd Gwernan.

"Mae rhif arbennig ar y sglodyn," meddai Mr Huws. "A bydd y rhif wedi'i gadw'n ddiogel ar gyfrifiadur, gyda chyfeiriad a rhif ffôn Sioned. Os daw rhywun o hyd i Emrallt, gall milfeddyg ddarllen y rhif ar ei sglodyn hi, gan ddefnyddio peiriant arbennig, a darganfod pwy yw'r perchennog."

"Mae hynny'n ardderchog!" meddai Sioned. "Ond rydw i'n dal i ofidio ychydig bach am adael Emrallt allan ar ei phen ei hun. Beth pe bai hi'n dianc?"

"Wel, y tro cyntaf y bydd hi'n cael mynd i'r ardd, gwnewch yn siŵr ei bod hi eisiau bwyd," meddai Mr Huws. Aeth ati i baratoi'r nodwydd. "Fydd y rhan fwyaf o gathod bach ddim yn crwydro'n bell iawn oddi wrth eu pryd bwyd nesaf."

"Syniad da!" meddai Sioned, gan edrych yn llawer hapusach. "Mae Emrallt wastad eisiau bwyd.

Mae hi'n defnyddio llawer o egni wrth fusnesu ym mhobman!"

Trodd Gwernan at Mali. "Hoffet ti ddod adre gyda ni i weld Emrallt yn mynd allan am y tro cyntaf?" gofynnodd.

Goleuodd wyneb Mali. "O, fe fyddwn i wrth fy modd!" gwenodd, gan roi mwythau i fol bach tew Emrallt.

Pennod Tri

"Croeso adre, Emrallt," meddai Mali, wrth iddi gario'r gath fach at ddrws ffrynt tŷ Sioned. Roedd hi a Gwernan wedi cario'r fasged yn eu tro wrth iddyn nhw gerdded drwy Lan-rhyd. "Mi fyddi di'n rhydd eto toc!"

Mewiodd Emrallt yn uchel, a tharo'r fasged yn grac â'i phawen.

"Mae hi'n ysu am gael dod allan!" gwenodd Gwernan. "Efallai ei bod hi eisiau bwyd."

"Mae eisiau dod allan a busnesu ym mhobman, rwyt ti'n feddwl!" meddai Sioned, gan ddatgloi'r drws.

Aeth pawb i'r gegin.

Rhoddodd Mali'r fasged ar y llawr. "Alla i ollwng Emrallt yn rhydd nawr?" gofynnodd.

Nodiodd Sioned. "Fe af i chwilio am ddarn o gortyn." meddai hi.

Yr eiliad yr agorodd Mali'r fasged, neidiodd Emrallt allan.

Rhuthrodd draw ati hi a Gwernan, gan ganu grwndi'n uchel wrth iddyn nhw fwytho'i blew. Ond ar ôl munud neu ddau, rhedodd i ffwrdd eto.

"Ble mae hi'n mynd?" gofynnodd Gwernan.

"Edrych!" pwyntiodd Mali at ochr bella'r gegin. Roedd drws peiriant golchi Sioned ar agor, ac roedd Emrallt yn sefyll ar ei choesau ôl yn sbecian i mewn.

Rhuthrodd Mali ar draws y gegin a chydio'n dynn yn y gath fach wrth iddi geisio neidio i mewn i'r peiriant. "Rwyt ti'n ddigon glân yn barod, Emrallt," chwarddodd. Doedd y gath fach ddim yn cytuno. Eisteddodd ar y llawr a dechrau llyfu pob modfedd ohoni'i hun â'i thafod bach pinc.

Ochneidiodd Sioned. "Bydd hi'n well i mi gadw drws y peiriant golchi yna ar gau o hyn allan," meddai. Yna edrychodd ar ei wats. "Dyw hi ddim yn amser mynd ag Emrallt allan eto. Beth am gael rhywbeth bach i'w fwyta tra ydyn ni'n aros."

Nodiodd Mali a Gwernan.

"Iawn. Alla i ddangos y lluniau o Emrallt pan oedd hi'n fach iawn, iawn i Mali?" gofynnodd Gwernan i'w modryb.

Gwenodd Sioned. "Wrth gwrs," meddai. "Mae'r llyfr lluniau ar bwys y teledu."

Aeth Gwernan a Mali i chwilio am y llyfr gan gario'u sudd oren a'u bisgedi siocled.

Yn y lluniau, gwelodd Mali fod Emrallt hyd yn oed yn fwy fflwfflyd pan oedd hi'n gath fach iawn. Ond roedd ei blew yn fwy streipiog fel teigr erbyn hyn. Ac roedd Mali'n hoffi streipiau teigr!

Wedyn, aeth Mali a Gwernan i chwilio am Emrallt. Daethon nhw o hyd iddi yn y gegin. Roedd hi wedi gorffen ymolchi ac yn eistedd ger ei phowlen fwyd.

Edrychodd Sioned ar ei wats eto a gwenu. "Mae'n amser i Emrallt gael ei phryd bwyd nesaf – ac mae ei bola gwag yn gwybod hynny!" meddai hi.

Cododd hi'r gath fach ac agor drws y cefn. "Iawn, ferched," meddai. "Amser i fynd ag Emrallt allan."

Edrychodd Mali o gwmpas yr ardd gefn. Doedd hi ddim yn fawr iawn, ac felly doedd yna ddim llawer o lefydd lle gallai Emrallt fynd i guddio. Ac roedd y ffens yn rhy uchel i gath fach neidio drosti. Doedd dim tyllau chwaith, iddi wthio drwyddyn nhw. Byddai hi'n hollol ddiogel, meddyliodd Mali.

Roedd Emrallt yn edrych o gwmpas hefyd. Cymerodd anadl ddofn, ac roedd ei llygaid yn saethu i bob cyfeiriad.

"Wel, dyma roi cynnig arni!" meddai Sioned, gan swnio ychydig yn nerfus. Gosododd Emrallt yn ofalus ar y gwair.

Syllodd Mali ar y gath fach wrth iddi edrych ar ei byd mawr, newydd.

Cymerodd Emrallt gam neu ddau gofalus ar draws y lawnt. Hedfanodd pilipala uwch ei phen, a cheisiodd hithau gydio'n chwareus ynddo. Yna edrychodd hi ar Mali fel pe bai'n dweud, *"On'd ydw i'n glyfar?"*

Chwarddodd pawb, a charlamodd Emrallt yn ôl atyn nhw, gan ganu grwndi. Sgrialodd at eu traed, cyn llamu ar un o gareiau esgidiau Mali.

"Emrallt!" meddai Sioned, gan esgus bod yn grac.

Rhedodd y gath fach i ffwrdd, a'i chynffon yn ysgwyd yn wyllt. Rhedodd mor bell ag y gallai – nes iddi gyrraedd pen pella'r lawnt, lle roedd llwyni'n ei rhwystro rhag mynd ymhellach. Yna rhedodd ar draws y gwair i'r cyfeiriad arall – nes i'r ffens ei rhwystro eto.

"Does arni hi ddim ofn bod allan o gwbl," meddai Mali.

"Mae hi wrth ei bodd!" chwarddodd Gwernan. Rasiodd Emrallt ar ôl deilen oedd yn dawnsio ar yr awel. "On'd wyt ti'n glyfar, Emrallt?" meddai.

Edrychodd y tair ohonyn nhw ar Emrallt yn chwilota o gwmpas yr ardd am amser maith. Roedd hi'n cael llawer iawn o hwyl. Ond bob hyn a hyn, byddai'n llamu'n ôl atyn nhw i gael mwythau a chwtsh fach.

"Rwy'n meddwl ei bod hi'n gwneud yn siŵr nad ydyn ni wedi'i gadael ar ei phen ei hun," meddai Mali gan wenu, a chodi Emrallt, oedd yn canu grwndi'n swnllyd.

"Rydw i mor falch ei bod hi'n dod yn ôl aton ni yn lle ceisio dianc!" meddai Sioned. Doedd hi ddim mor ofnus nawr.

Cyn bo hir, dechreuodd y gath
fach wingo ym mreichiau Mali.
Roedd hi eisiau cael ei thraed yn
rhydd. Gosododd Mali Emrallt ar y
gwair eto, a llamodd y gath ar
draws y lawnt, gan sboncio ar ben
blodau llygaid y dydd wrth iddi
fynd.

Gwenodd Mali'n hapus. Roedd y
gath fach wrth ei bodd!

Yn sydyn hedfanodd aderyn du uwchben. Glaniodd ar un o'r coed wrth ochr wal yr ardd.

Gwelodd Emrallt yr aderyn yn syth. Carlamodd draw ac roedd wedi dringo'r boncyff mewn eiliad, gan gladdu'i hewinedd bach miniog yn rhisgl y goeden.

Hedfanodd y
fwyalchen i ffwrdd
mewn braw.

"Emrallt!"
galwodd Sioned.
"Dere i lawr o
fan'na!"

Doedd y gath
fach ddim yn
gwrando. Roedd
hi'n dringo'n
uwch ac yn uwch
i fyny'r goeden.
Ymhen chwinciad,
roedd hi wedi
cyrraedd top y
ffens.

"O!" meddai
Mali mewn braw.
"Dydi hi ddim

35

yn mynd i neidio dros y ffens, gobeithio?"

"Na, mae'n llawer rhy uchel," meddai Sioned.

Ond doedd Emrallt ddim yn cytuno. Fe wnaeth hi gropian ar hyd un gangen oedd yr un uchder â thop y ffens.

Yna neidiodd dros ochr y ffens a diflannu. Clywodd pawb sŵn crafu wrth i ewinedd y gath fach grafu postyn y ffens ar ei ffordd i'r llawr.

"O na!" gwaeddodd Mali.

Pennod Pedwar

Rhedodd pawb draw at y giât gefn.

Yna ochneidiodd Sioned. "Ro'n i wedi anghofio – mae hi ar glo!" llefodd. "Fe af i nôl yr allwedd!" A rhedodd yn ôl i'r tŷ.

Pwniai calon Mali. Roedd Gwernan yn edrych yn ofidus hefyd.

Yn sydyn cofiodd Mali eiriau ei thad. "Bwyd!" gwaeddodd. "Sioned – efallai y daw hi'n ôl i gael bwyd!"

Rhuthrodd Sioned yn ôl i'r ardd. Roedd allwedd yn un llaw ganddi ac yn y llaw arall cariai focs o fisgedi cathod bach. Yn gyflym, agorodd glo'r giât, a rhedodd pawb drwyddi.

Roedden nhw mewn lôn gefn a redai y tu ôl i'r gerddi ac allan i'r stryd oedd o flaen tŷ Sioned. Ond doedd dim sôn am Emrallt.

Suddodd calon Mali. Os oedd Emrallt wedi rhedeg allan i'r stryd, roedd hi'n gobeithio y byddai wedi cadw draw oddi wrth y traffig.

Rhedodd y tair i ben y lôn.

"Emrallt! Dere 'ma!" galwodd Sioned. Ysgydwodd y bocs bisgedi'n swnllyd.

Ond doedd dim sôn am y gath fach.

Ochneidiodd Mali. Doedd bol gwag, hyd yn oed, ddim yn mynd i rwystro'r gath fach fusneslyd *hon* rhag cael antur.

Cerddodd Aled Tomos a'i dad heibio. Roedd Aled yn yr un dosbarth â Mali a Gwernan. Roedd e'n mynd â'i gi bach, Titw, am dro.

"Helô, Aled," meddai Mali. Plygodd i roi mwythau i Titw. Siglodd y ci bach ei gynffon cyn neidio i fyny a llyfu gên Mali.

Edrychodd Mali ar Aled. "Rydyn ni'n chwilio am gath fach frith," meddai hi.

"Wyt ti wedi gweld un allan fan hyn, Aled?" ychwanegodd Gwernan.

"Na, mae'n ddrwg gen i," atebodd Aled. "A byddai Titw wedi

sylwi ar gath fach yn rhedeg o gwmpas. Mae e'n cwrso cathod, mae arna i ofn!"

Dymunodd Aled a'i dad bob lwc iddyn nhw. Cerddodd y ddau a Titw i gyfeiriad sgwâr y pentre.

"O leia mae gan Emrallt ei sglodyn," meddai Mali. "Ac mae ei henw ar y bathodyn sy'n sownd wrth ei choler hi."

Edrychai Gwernan ychydig yn hapusach. "Rwyt ti'n iawn, Mali," cytunodd.

"Beth am fynd i edrych yn y gerddi o flaen y tai?" gofynnodd Mali.

"Iawn," meddai Sioned. "Ewch chi'ch dwy i un cyfeiriad, ac fe af innau'r ffordd arall." Roedd hi'n edrych yn bryderus iawn. "Ond peidiwch â chroesi'r ffordd, hyd yn oed os gwelwch chi Emrallt yr ochr draw," rhybuddiodd. "Dewch i fy nôl i."

Nodiodd Mali a Gwernan, a chychwyn i lawr y stryd. Stopiodd y ddwy wrth bob giât a sbecian i mewn i'r gerddi. Roedd yn *rhaid* dod o hyd i Emrallt.

Yna tynnwyd sylw Mali gan fflach o felyn llachar yn un o'r gerddi. Roedd rhywbeth wedi bachu ar gangen llwyn mawr, deiliog.

Aeth hi draw i weld beth oedd yno. "Coler Emrallt!" meddai mewn braw.

Rhuthrodd Gwernan draw i weld. Nodiodd, a'i llygaid led y pen ar agor. "Coler Emrallt yw honna, yn bendant. Dyna rif ffôn Sioned ar y bathodyn enw," meddai. "Bydd hi'n fwy anodd byth dod o hyd iddi hi nawr!"

"Diolch byth fod ganddi hi'r sglodyn micro hefyd," meddai Mali.

Rhedodd Gwernan i nôl ei modryb, a chwiliodd y tair ohonyn nhw o gwmpas yr ardd lle cawson nhw hyd i'r goler. Daliai Sioned i ysgwyd y bocs bisgedi cathod bach yn swnllyd.

Gofynnon nhw i bawb oedd yn mynd heibio a oedden nhw wedi gweld Emrallt. Ond ddaethon nhw ddim o hyd i'r gath fach.

"Ble *all* hi fod?" meddai Gwernan yn ei dagrau, wrth i'r tair ohonyn nhw sefyll y tu allan i dŷ Sioned, heb wybod ble i edrych nesaf.

Yr eiliad honno, trodd land-rofer Arch Anifeiliaid i mewn i'r stryd.

"Dyma Mam," meddai Mali mewn llais bach. "Mae'n amser i mi fynd adre."

Stopiodd Mrs Huws y land-rofer wrth ymyl y pafin a dringo allan. Diflannodd y wên ar ei hwyneb wrth iddi weld yr wynebau trist o'i chwmpas. "Beth yn y byd sydd wedi digwydd?" gofynnodd.

"O, Mam!" meddai Mali, a'i llais yn crynu. "Mae Emrallt wedi diflannu, a does gan neb syniad *ble* mae hi!"

Pennod Pump

"Cwyd dy galon, cariad," meddai Mrs Huws, gan roi ei braich o gwmpas Mali a rhoi cwtsh iddi hi.

Roedd Mali a'i mam yn lolfa eu bwthyn yn gwylio'r teledu, a'i thad yn gofalu am syrjeri'r hwyr. Doedd Mali ddim wedi bwyta llawer o'i the. Roedd hi wedi cynhyrfu gormod oherwydd Emrallt.

"Rwy'n siŵr y daw rhywun o hyd i Emrallt a mynd â hi i'r

lloches anifeiliaid lleol," meddai
Mrs Huws. "Ac mae
ganddi hi
sglodyn
nawr."

Nodiodd Mali. Roedd yn nosi
erbyn hyn. Allai hi ddim goddef
meddwl am y gath fach allan yn y
tywyllwch ar ei phen ei hun. Roedd
Sioned wedi addo ffonio y munud y
dôi Emrallt i'r golwg. Ond doedd y
ffôn ddim wedi canu un waith.

49

"Pam nad ei di i weld beth mae dy dad yn ei wneud?" meddai ei mam wrth Mali. "Efallai y bydd gweld anifeiliaid eraill yn codi dy galon di ychydig bach."

"Iawn," meddai Mali. Rhoddodd wên fach wan i'w mam a cherdded drwodd i ystafell aros Arch Anifeiliaid.

Roedd hi bron yn wag yno bellach. Roedd Siân Jones yn brysur wrth ei desg. Roedd merch a chanddi gwningen lwyd mewn cawell wrthi'n talu'i bil. Yr unig un arall yno oedd dyn ifanc a bocs cardfwrdd ar ei lin.

Gallai Mali weld nad bocs go iawn ar gyfer cario anifeiliaid oedd hwn, dim ond hen focs o'r

archfarchnad,
a thyllau
wedi'u torri
yn y caead.

Gwelodd y
dyn fod
Mali'n syllu,
a gwenodd
arni hi.
"Helô."

"Helô,"
meddai Mali
yn swil. "Beth
sydd yn y bocs?"

"Cath fach," atebodd y
dyn. Daeth sŵn crafu swnllyd o'r
bocs.

"O," meddai Mali'n drist, gan
feddwl am Emrallt. "Beth sy'n
bod arni hi?"

Cododd y dyn ifanc ei ysgwyddau. "Dim byd, hyd y gwn i," meddai. "Fe ddois i o hyd iddi hi yn fy ngardd, yn bwyta sbarion cig moch oedd i fod i'r adar. Do'n i ddim yn gwybod ble arall i fynd â hi. Does dim coler arni hi, felly rwy'n gobeithio y bydd modd i'r milfeddyg chwilio am sglodyn."

Agorodd llygaid Mali led y pen a churodd ei chalon yn gynt. "Alla i weld, os gwelwch yn dda?" gofynnodd.

Nodiodd y dyn ifanc ac agor y bocs. Daeth pen bach blewog euraid, ac arno streipiau duon i'r golwg.

"Mi-âw!" meddai'r gath fach yn grac.

"Emrallt!" llefodd Mali.

Cydiodd yn dynn yn y gath fach a rhoi cwtsh fawr iddi. Rhwbiodd Emrallt ei hwyneb yn erbyn wyneb Mali, a dechrau canu grwndi'n hapus.

"O, Emrallt!" sibrydodd Mali. "Rwyt ti'n ddiogel!"

Edrychodd Mali ar y dyn ifanc a oedd yn edrych arni'n syn. Yna chwarddodd hi. "Rydych chi'n iawn," meddai Mali. "Mi fydd fy nhad yn gallu chwilio am sglodyn – ond fydd dim angen y tro hwn. Rydw *i*'n gwybod pwy sydd biau'r gath fach hon!"

Pennod Chwech

"Helô?"

Curodd calon Mali'n gynt pan glywodd lais Gwernan ar ben arall y ffôn. "Gwernan? Mali sy yma!" gwaeddodd hi. "Rydw i wedi dod o hyd i Emrallt!"

"Beth?" meddai Gwernan yn gyffrous. "Sioned, mae Mali wedi dod o hyd i Emrallt"

"O! Diolch byth!"

Gallai Mali glywed Sioned yn brysio ar hyd y cyntedd.

"Ble ddaeth hi o hyd iddi hi? Ydy hi'n iawn?"

Gwenodd Mali. Roedd hi'n dal yn sownd yn Emrallt o hyd, wrth i'r gath fach geisio neidio i lawr a mynd i  chwilota o gwmpas yr ystafell aros. "Mae hi'n iawn," meddai Mali. Yna esboniodd yn union sut y cafwyd hyd i'r gath fach goll.

"Fe ddown ni draw yn syth i nôl Emrallt nawr!" meddai Sioned, gan gydio yn y ffôn o law ei nith. "Ac alli di ofyn i'r person ddaeth o hyd iddi hi aros yno, er mwyn i ni allu dweud diolch?"

"Wrth gwrs," meddai Mali'n hapus. Rhoddodd hi'r ffôn yn ôl yn ei grud. Roedd ei mam a'i thad wedi dod i'r ystafell aros i weld beth oedd yn digwydd. Roedden nhw'n siarad â'r dyn ifanc oedd wedi dod ag Emrallt i mewn, ac yn gwenu. "Mae Sioned a Gwernan ar eu ffordd draw," meddai Mali wrth bawb. Trodd at y dyn. "Ac maen nhw eisiau i chi aros, er mwyn iddyn nhw allu dweud diolch."

Daeth golwg braidd yn chwithig dros wyneb y dyn. "Fe ddylwn i fod yn ei throi hi am adre..." dechreuodd ddweud.

Ysgydwodd Mrs Huws ei phen yn gadarn. "Bydd Gwernan a'i modryb eisiau diolch i chi Mr..."

"Williams," meddai'r dyn. "Ond Jonathan yw fy enw i."

"Oes, mae'n rhaid i chi aros, Jonathan," cytunodd Mr Huws. "Oni bai amdanoch chi, byddai Emrallt yn dal ar goll! Dewch i'r gegin am baned o de."

*

"Tybed oes sglodyn yn y fechan hon," meddai Jonathan, wrth iddo eistedd yng nghegin y bwthyn. Roedd Emrallt newydd neidio i fyny ar ei lin, ac roedd yn cael cosi'i bol. "Fe ddylai gael un, gan ei bod hi mor fusneslyd!"

Nodiodd Mr Huws a gwenu. "Fe gafodd y mwrddrwg bach sglodyn y bore 'ma. Fi roddodd e yn ei le!"

"Mae'n rhaid dy fod ti wrth dy fodd yma, felly, Emrallt," meddai Jonathan â gwên. "Dau ymweliad mewn un diwrnod!"

Dechreuodd Emrallt wingo am ei bod hi eisiau mynd i lawr a chwilota. Diflannodd o dan fwrdd y gegin.

"Cer i nôl y tun bisgedi, wnei di, cariad?" gofynnodd Mr Huws i Mali.

Nodiodd Mali. Pan ddaeth hi yn ei hôl o'r pantri yn cario'r tun, cymerodd gegaid o fisgeden siocled. Yna sleifiodd o dan y bwrdd i weld beth roedd Emrallt yn ei wneud.

Ond doedd dim sôn amdani.

"Emrallt!" galwodd hi. "Ble rwyt ti nawr?"

"Gobeithio nad yw hi wedi mynd ar goll eto," meddai Jonathan, wrth iddo yfed ei de.

"All hi ddim â bod yn bell," meddai Mali.

Yr eiliad honno, canodd cloch y drws. Rhoddodd Mali weddill ei bisgeden ar y bwrdd a rhedeg at y drws. "Dyma nhw!" gwaeddodd.

Roedd Gwernan a'i modryb yn sefyll wrth y drws, a dwy wên lydan ar eu hwynebau.

"Ble mae'r gath fach ddrwg yna?" gofynnodd Sioned.

"Yn y gegin," atebodd Mali, "ond dydyn ni ddim yn hollol siŵr ble," meddai hi o dan ei hanadl.

Dilynodd Sioned a Gwernan Mali yn ôl i'r gegin.

Ar ôl gwenu helô ar Mr a Mrs Huws, trodd Sioned at Jonathan. "Diolch yn fawr *iawn* am ddod ag Emrallt yma. Dyna'r union le i ddod â hi!" meddai hi â gwên lydan.

"Croeso – dim problem,"
meddai Jonathan, gan wenu'n ôl.

Edrychodd Sioned o'i
chwmpas. "Felly ble mae hi?"
gofynnodd hi.

Pesychodd Mr Huws. "Wel,
mae hi yma yn *rhywle*," meddai.
"Mae wedi mynd i chwilota eto."
Chwarddodd pawb.

Yn sydyn, neidiodd pawb
wrth glywed sŵn crafu. Eiliad yn
ddiweddarach, gwasgodd Emrallt
allan o'r tu ôl i'r ffwrn,
a golwg braidd yn llychlyd a
di-raen arni hi, gan fewian yn
swnllyd.

"Emrallt!" Cydiodd Sioned
ynddi'n gyflym. "Y gath fach
ddrwg, ddrwg!" meddai hi, gan
roi cwtsh iddi.

"Rhaid ei bod hi wedi dod mas i weld pam roedd pawb yn chwerthin," meddai Mali, gan roi mwythau i ben blewog Emrallt. "Emrallt, rwyt ti wir yn gath fach fusneslyd!"

Mewiodd Emrallt yn swnllyd, fel pe bai'n dweud ei bod hi'n cytuno'n llwyr.

Hefyd yng nghyfres

Y Ci Bach
Chwareus

www.rily.co.uk